Traducido por Diego de los Santos

Título original: *Ik en de seizoenen*
© Editorial Clavis Uitgeverij, Hasselt–Amsterdam, 2014
© De esta edición: Grupo Editorial Luis Vives, 2015

ISBN: 978-84-263-9571-9
Depósito legal: Z 1612-2014

Impreso en China.

Liesbet Slegers

MIS CUATRO ESTACIONES

EDELVIVES

PRIMAVERA

ESTO ES EL SOL.
EN PRIMAVERA,
EL SOL BRILLA SUAVEMENTE.
¡Y PUEDO JUGAR FUERA!

ESTO ES UNA HOJA.
LAS HOJAS CRECEN EN LOS ÁRBOLES.
¡MIRA CUÁNTAS HOJAS NUEVAS!

ESTO ES UN **PÁJARO**.
ESTÁ CANTANDO UNA CANCIÓN.
«PÍO, PÍO», CANTA DESDE LA RAMA
DE UN ÁRBOL.

ESTO ES UNA FLOR.
LA FLOR TIENE UN TALLO Y UNA HOJA.
ESTOY BUSCANDO FLORES PARA MAMÁ.

ESTO ES UN HUEVO.
HAY UNA GRIETA EN EL HUEVO.
¡MIRA, ESTÁ NACIENDO UN POLLUELO!

ESTA ES MAMÁ CONEJO.
MAMÁ CONEJO TIENE CONEJITOS.
¡QUÉ SUAVES Y ESPONJOSOS!

VERANO

ESTO ES EL SOL.
EL SOL CALIENTA EN VERANO.
¡MIRA, AHÍ ESTÁ LA PLAYA!

ESTE ES MI **GORRO** PARA EL SOL
Y ESTE ES MI **BAÑADOR**.
ME LOS PONGO Y...
¡ESTOY LISTO PARA UN DÍA DE PLAYA!

ESTA ES MI **PALA** Y ESTE ES MI **CUBO**.
UTILIZO LA PALA PARA LLENAR
EL CUBO DE ARENA.
¡MIRA, TENGO EL CUBO CASI LLENO!

ESTO ES UNA CONCHA.
EN LA PLAYA HAY MUCHAS CONCHAS BONITAS.
¡VOY A RECOGERLAS!

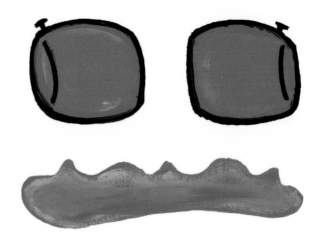

ESTOS SON MIS MANGUITOS.
ME PONGO LOS MANGUITOS
Y ME METO EN EL AGUA.
¡QUÉ DIVERTIDO ES CHAPOTEAR!

ESTO ES UN **HELADO**.
¡VOY A COMÉRMELO TODO!
¡ME ENCANTA LA PLAYA!

OTOÑO

ESTE ES MI **IMPERMEABLE**
Y ESTAS SON MIS **BOTAS**.
¡CUANDO ME LOS PONGO NO ME MOJO
NI TENGO FRÍO EN **OTOÑO**!

ESTO ES LA **LLUVIA**
Y ESTO ES UN **PARAGUAS**.
«PLIC, PLIC», SUENA LA LLUVIA.
¡PERO YO NO ME MOJO!

ESTO ES UNA **HOJA**.
EL VIENTO ARRANCA LAS COLORIDAS
HOJAS DE LOS ÁRBOLES.
¡MIRA, EL ÁRBOL CASI NO TIENE HOJAS!

ESTO SON NUECES y BELLOTAS.
LAS ARDILLAS LAS RECOGEN EN OTOÑO
PARA PODER COMÉRSELAS
DURANTE EL INVIERNO.

ESTO ES UNA SETA.
ES ROJA Y TIENE MANCHAS BLANCAS.
¡MIRA, AQUÍ HAY MÁS SETAS!

ESTO ES UN CARACOL.
EL CARACOL AVANZA ARRASTRÁNDOSE
POR UNA RAMITA.
¡MIRA, LLEVA SU CASA A CUESTAS!

INVIERNO

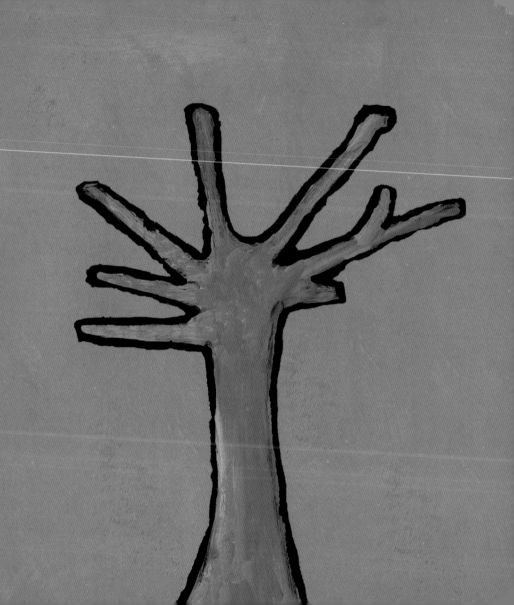

ESTE ES MI GORRO
Y ESTA ES MI BUFANDA.
ESTAS SON MIS MANOPLAS.
ME DAN CALOR EN INVIERNO
PORQUE FUERA HACE FRÍO. ¡BRRR!

ESTO ES UNA **RAMA**.
NO HAY HOJAS EN LA RAMA.
¡MIRA, NO HAY HOJAS EN EL ÁRBOL!

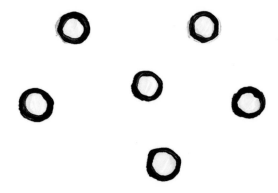

ESTO ES LA NIEVE.
ESTÁ NEVANDO.
¡MIRA QUÉ BOLAS DE NIEVE HAGO!

ESTO ES UN **MUÑECO DE NIEVE.**
SU NARIZ ES UNA ZANAHORIA.
LE HE PUESTO UN CUBO EN LA CABEZA
PARA HACER DE SOMBRERO.

ESTO ES UN
COMEDERO PARA PÁJAROS.
EN EL COMEDERO SE PONE LA COMIDA.
¡ÑAM! ¡AL PÁJARO LE ENCANTA!

ESTO ES UN TRINEO.
ME SIENTO EN EL TRINEO...
¡Y ME DESLIZO POR LA NIEVE! ¡BIEEEN!